Sternstunden II

Danke

Liebe Ilse Otto,
ohne deine tatkräftige Unterstützung
würde es auch den zweiten Teil
der Sternstunden nicht geben –
ein dickes Danke an dich.

Danke auch dir, Gunnar,
für deine Geduld und Hilfe.

EVA STERN

Sternstunden II

Märchen

Bibliografische Information der Deutschen Nationalbibliothek:
Die Deutsche Nationalbibliothek verzeichnet diese Publikation in der Deutschen Nationalbibliografie; detaillierte bibliografische Daten sind im Internet über http://dnb.dnb.de abrufbar.

Satz, Umschlaggestaltung, Herstellung und Verlag:
BoD - Books on Demand, Norderstedt

ISBN: 978-3-7504-6383-7

Inhalt

Vorwort

Liebe Leserin, lieber Leser,

erinnerst du dich noch an die Waldkuh Elsa? Möchtest du wissen, was sie alles im Wald erlebt? Und an Julia, die im Haus im Wald war – ob sie wohl inzwischen die verwunschene Gasse entdeckt hat?

Lass dich überraschen, auch wenn du einem kleinen frechen Kobold begegnest oder Fine begleitest, wenn sie die Quelle der Wahrheit sucht.

Ich wünsche dir viel Freude mit den neuen Märchen.

Deine
Eva Stern

Auch in diesem Buch kannst du wieder überall da, wo du so einen Rahmen findest, ein Bild zu dem Märchen malen, am besten mit Buntstiften.

Der vielleicht kleinste Kobold der Welt

Hmm – ihr Menschen seid schon merkwürdig. Was Blütenpollen sind, wisst ihr alle, aber wenn euch jemand fragt, was eine Küchenpolle ist, dann guckt ihr bloß komisch. Ich bin aber eine, und damit ihr eine Vorstellung von mir habt, beschreib ich mich einmal. Ich bin klein, etwa so wie euer Daumennagel. Mein Kopf mit den wunderschönen Haaren dran sieht aus wie eine Pusteblume. Ihr wisst schon, das, was vom Löwenzahn übrigbleibt. Das ist auch schon das Wichtigste. Mein Körper ist zart, auch meine Arme und Beine, dass ihr sagen würdet, ich sehe aus wie ein Strich in der Landschaft. Und das ist auch gut so, dass ich so leicht bin, denn das brauche ich für mein allerliebstes Hobby. Wie ihr euch bei meinem Namen ja unschwer vorstellen könnt, lebe ich in der Küche. Und für mich ist es das Allerallerschönste, wenn das Küchenfenster beim Kochen geöffnet ist und ich mich vom Wind auf den leckeren Düften durch die ganze Küche tragen lassen kann. Hin und her und immer wieder, Küchenpolle summt dann Lieder! Was für ein Spaß, damit könnte ich den ganzen Tag verbringen. Aber das geht natürlich nicht. Kobolde haben schließlich wichtige Aufgaben. Wie – das habt ihr auch nicht gewusst? Da habt ihr Computer, Autos, könnt zum Mond fliegen, aber von den wirklich wichtigen Dingen habt ihr keine Ahnung. Na gut, ich will euch auch das erklären. Die Menschen sind so oft unzufrieden mit ihrem Leben. Sie ächzen und stöhnen und beschweren sich: »Jeden Tag der gleiche Trott«, kriegt man zu hören, »morgens aufstehen, arbeiten gehen, abends fernsehen – jeden Tag dasselbe.« Die Menschen langweilen sich, haben gar keinen Blick mehr für das Besondere. Aber da komme ich ins Spiel! Die Küche ist ein wunderbares Arbeitsgebiet. Was glaubt ihr, was passiert, wenn ich da, wo sonst das Salz steht, den Zucker hinschiebe? Zimt und Curry sehen sich auch ganz schön ähnlich. Ich sage euch, das gibt völlig neue Geschmackserlebnisse. Und zu gerne kitzel ich euch Menschen beim

Kochen in der Nase. Ihr denkt, es ist der Pfeffer, der euch so lustig niesen lässt? Falsch gedacht, das bin ich! Ich sorge schon dafür, dass euch nicht langweilig wird.

Aber einmal, da war ich wirklich in Gefahr. Was passiert ist, wollt ihr wissen? Na gut, ich erzähle es euch. Eines Tages, als ich wieder mal so ganz in meinem Element war und durch die Küche getobt bin, hatte ich auf einmal so einen verführerischen Duft in der Nase. Wo kam der wohl her? Mitten auf dem Küchentisch stand eine große Rührschüssel voller Pfannkuchenteig. Wie das duftete! Ich wusste, es ist gefährlich, aber ich konnte nicht widerstehen. Ich ließ mich auf dem Schüsselrand nieder, um wirklich nur ein ganz kleines bisschen zu naschen, ganz wenig nur, ich schwör, großes Pollenehrenwort! Aber da ist es auch schon passiert. Ich hing fest. Der leckere Pfannkuchenteig klebte in meinen Haaren. Sie standen nicht mehr ab in alle Himmelsrichtungen, federleicht, damit ich überhaupt fliegen kann. Nein, sie hingen klebrig und schwer herunter und hielten mich so in der Schüssel fest. Was sollte ich tun? Ich kam ja nicht weg, also blieb mir nur ein einziger Ausweg. Ich machte es mir so gemütlich wie möglich und fing an, langsam, aber sicher den ganzen Teig aus meinen Haaren zu schlecken. Puh, war das mühsam! Als ich endlich damit fertig war, war ich so satt, das könnt ihr euch gar nicht vorstellen. Ich konnte mich grade noch vom Schüsselrand auf den Küchentisch plumpsen und in eine dunkle Ecke wehen lassen. Dann habe ich erst mal geschlafen, sehr tief und sehr lange. Ihr merkt also, das Leben einer Küchenpolle kann ganz schön gefährlich sein. Ich könnte euch da auch noch mehr erzählen, aber davon später. Für heute ist die Geschichte von der Küchenpolle zu Ende. Tschüss!

Die Quelle der Wahrheit

Eine Landschaft wie gemalt. Grüne Hügel, große Waldgebiete, Kornfelder, Obstwiesen. Mitten in dieser Idylle liegt ein kleines Dorf. Es gibt dort viele Bauernhöfe, ein paar kleine Geschäfte, ein Café und eine Schule. Die meisten Menschen leben schon lange hier, fast alle sind hier geboren. So auch Fine. Jetzt grade liegt Fine hinter dem Haus im Garten, mitten auf der Wiese. Sie spürt die wärmenden Sonnenstrahlen auf der Haut, hat die Augen geschlossen und träumt.

Fine träumt von einer Welt, in der die Großen nicht mehr streiten und sich nicht mehr belügen. Grade haben die Eltern sich wieder angeschrien. Mama hat Papa gesagt, die neue Handtasche wäre ganz billig gewesen, aber Papa hat zufällig das Preisschild gesehen. Dafür hat er Mama erzählt, dass er noch arbeiten muss, sie hat aber gehört, wie er sich mit seinem Freund auf ein Bier verabredet hat. Schon gab es das größte Theater. Und ihr kleiner Bruder hat die Deutscharbeit versteckt und will nicht sagen, dass er eine Fünf hat.

Was ist bloß los mit der Welt, fragt sich Fine. Sie hält es einfach nicht mehr aus. Schnell springt sie auf und läuft zum Haus gegenüber. Da wohnt Tom, ihr bester Freund. Mit ihm kann sie über alles reden, und sie haben sich auch noch nie angelogen. Tom hält ihr die Tür auf, er hat sie schon durch das Fenster gesehen. »Was ist los, was machst du für ein Gesicht?«, fragt er die Freundin. »Komm, ich koche uns erst mal einen Kakao, das beruhigt die Nerven.« Während Tom den Kakao kocht, geht Fine schon weiter in sein Zimmer und macht es sich dort gemütlich. Kurze Zeit später reicht Tom ihr ihre bunte Lieblingstasse und setzt sich zu ihr. Fine redet sich alles von der Seele, was sie bedrückt, und Tom hört ihr aufmerksam zu. »Wenn ich doch nur etwas tun könnte, damit sich alle besser verstehen«, seufzt sie zum Schluss und schaut Tom an.

Tom überlegt einen Moment, und plötzlich ist er ganz aufgeregt.

»Mir fällt da grade etwas ein«, ruft er, »du kennst doch die Hütte meiner Großeltern, da oben in den Bergen?« Fine nickt. Dort sind sie gemeinsam schon einmal gewesen. »Als ich zuletzt dort war«, erzählt Tom weiter, »bin ich in Opas Arbeitszimmer gewesen, du weißt ja, dort, wo die vielen Bücher stehen. Mir war langweilig, und da wollte ich mir etwas zu lesen holen. Dabei ist mir ein schmales, offensichtlich uraltes Buch aufgefallen. Darin stand eine merkwürdige Geschichte. Wenn ich die alte Schrift richtig entziffert habe, stand da etwas von einer kleinen Quelle, die hoch in den Bergen entspringt. Es soll ein ganz besonderes Wasser sein, ein Geschenk der Erde an die Menschen, denn die Menschen, die von diesem Wasser trinken, können nur noch die Wahrheit sagen; sie können keine Lügen mehr aussprechen.« Fine hört mit offenem Mund zu. Sollte es so etwas wirklich geben? Tom fährt fort zu erzählen: »Es wird aber gesagt, dass man, um dieses Wasser zu bekommen, klettern muss wie eine Ziege, weil die Quelle so hoch in den Bergen entspringt, schweigen muss wie ein Fisch, damit man sie hört, und geschickt sein muss wie eine Elster, die ihr Nest baut.« »Wieso das denn?«, fragt Fine verwundert. »Man kann das Wasser nur transportieren in einem selbstgefertigten Gefäß«, antwortet Tom. »Glaubst du diese Geschichte?«, fragt Fine nachdenklich. Tom überlegt einen Augenblick. Dann sagt er leise: »Auf jeden Fall ist die Sache es wert, ausprobiert zu werden. Wann brechen wir auf?« »Du willst mich begleiten?«, fragt Fine glücklich. »Gemeinsam werden wir es schaffen!«

Dann ist es so weit, die beiden machen sich auf den Weg. Die Sonne scheint vom blauen Himmel, und Tom führt sie in die Richtung, in der die Berghütte seiner Großeltern liegt. Dahinter gibt es einen guten Aufstieg in die Berge, und er hofft einfach, dass das der richtige Weg ist. Beide sind so gespannt und klettern, so schnell sie können, bis Fine plötzlich sagt: »Warte, Tom, wir müssen zwischendurch stehen bleiben und lauschen, ob wir die Quelle hören.« Tom nickt. Sie bleiben stehen und halten sogar die Luft an. Und wirklich – sie hören ein ganz leises Plätschern, kaum wahrnehmbar. Eilig laufen sie zu der Quelle.

Zwischen den Steinen rinnt glasklares Wasser den Berg hinab. »Und jetzt?«, fragt Fine leise. »Jetzt müssen wir einen Behälter basteln«, sagt Tom, »lass uns Grashalme pflücken und irgendwie einen Korb daraus flechten.« Beide sammeln möglichst lange und breite Halme, und Fine beginnt geschickt einen kleinen Korb zu flechten. Jetzt halten sie ihn in das kalte, klare Wasser, und er ist sogar dicht. Sie füllen ihn bis zum Rand und machen sich an den Abstieg. So schnell, wie sie beim Heraufklettern waren, so langsam sind sie jetzt. Es soll ja kein Tropfen verlorengehen. Als sie im Dorf ankommen, laufen sie geradewegs zum Brunnen. Glücklicherweise sind sie allein dort, niemand beobachtet sie. Schnell schütten sie das Wasser aus der Quelle hinein. Fast erwarten sie, dass es zischt und brodelt, aber es passiert natürlich nichts. »Jetzt können wir nur noch abwarten«, sagt Tom. »Ich bin gespannt, ob sich tatsächlich etwas ändert.« »Das bin ich auch«, seufzt Fine, »ich hoffe es so sehr. Und ich bin so froh, dass du dich mit mir auf den Weg gemacht hast. Alleine hätte ich es nie geschafft.« »Das hab ich doch gerne getan«, sagt Tom und nimmt Fine in den Arm. »Behalte doch das Körbchen als Andenken und lass uns abwarten, ob etwas passiert.«

Fine nickt und geht mit einem zufriedenen Gefühl nach Hause.

Fines Dorf

Du erinnerst dich, dass Fine und Tom in die Berge geklettert sind, um dort Wasser aus der Quelle der Wahrheit zu schöpfen? Sie haben es geschafft und das Wasser in den Brunnen des Dorfes geschüttet. Jeden Tag läuft Fine seitdem schon morgens zum Brunnen und beobachtet. Alle Dorfbewohner holen regelmäßig Wasser aus diesem Brunnen, weil es besonders klar und köstlich ist und ihm sogar eine Heilwirkung für manche Beschwerden nachgesagt wird. Auch Fine ist oft mit einem Tonkrug unterwegs, um Wasser für die Familie zu schöpfen.

Auch an diesem Morgen wird Fine schon ganz früh wach und geht zum Brunnen. Sie ist ganz aufgeregt, denn eine Spannung liegt heute in der Luft. Es ist fast so, als würde es knistern, ähnlich wie vor einem Gewitter. So steht sie wieder in der Nähe des Brunnens und beobachtet.

Die ersten Dorfbewohner sind auch schon auf den Beinen. Zwei junge Frauen begegnen sich auf dem Weg zum Brunnen. »Guten Morgen!«, grüßt die eine, und die andere will automatisch zurückgrüßen, hält dann aber inne und sagt: »Ich wünsche dir gar keinen guten Morgen! Von mir aus kann der Morgen auch schlecht sein, das kümmert mich nicht.« Die andere Frau schaut sie nur verwundert an. »Du hast mir gestern beim Bäcker mein Lieblingsbrot vor der Nase weggeschnappt, es war das letzte!«

»Oh«, sagte die andere, »das stimmt, ich wollte es auch mal probieren, und es ist wirklich köstlich. Weißt du was? Lass uns die Sache vergessen und komm einfach zum Frühstücken zu mir.« Die Freundin schaut sie an, dann lächelt sie und sagt: »Das ist eine gute Idee.« Arm in Arm gehen die beiden nach Hause.

Fine ist sprachlos. Sollte es wirklich gewirkt haben? Das muss sie unbedingt Tom erzählen. So schnell sie kann, läuft sie zu seinem Haus. Ohne anzuklopfen, stürmt sie in sein Zimmer und bleibt dann erschrocken stehen. Tom hat noch geschlafen und blinzelt sie verständnislos an. »Was ist denn mit dir los? Brennt es irgendwo?«, fragt er Fine. »Ach, Tom, es tut mir leid, dass ich dich geweckt habe. Ich habe gar nicht daran gedacht, dass es noch so früh ist. Aber du glaubst nicht, was ich eben erlebt habe!« Schon will Fine loslegen und ihm von ihrem Erlebnis am Brunnen berichten, aber dann zögert sie doch. »Bist du denn schon wach genug, oder soll ich lieber später wiederkommen?«, fragt sie leise. »Jetzt bin ich wach«, antwortet Tom, »und außerdem habe ich Angst, dass du sonst vor Aufregung platzt. Und was soll ich mit einer geplatzten Freundin anfangen?« Tom lächelt sie verschmitzt an. »Ist das nicht merkwürdig?«, fragt sie Tom, als sie berichtet hat, wie beide Frauen dann versöhnt nach Hause gegangen sind. »Das ist wirklich ungewöhnlich«, sagt Tom, »aber ich freue mich sehr. Meinst du, Fine, es hat wirklich funktioniert?«

»Ich wünsche es mir so sehr«, antwortet Fine und tanzt schon wieder unruhig von einem Bein aufs andere. »Tom, sei mir nicht böse, aber ich muss jetzt gehen.« Tom schaut sie voller Verständnis an. »Ich weiß doch, du musst nach Hause. Schauen, ob es auch da gewirkt hat.« Fine nickt und ist auch schon wieder zur Tür hinaus.

Zu Hause läuft sie sogleich in die Küche, wo sie die Stimmen der Eltern hört. Sie scheinen gar nicht zu streiten, wie sie es sonst immer tun. Papa sagt grade: »Ich möchte mich morgen nach der Arbeit mit Olaf treffen. Wir wollen noch ein Bier trinken gehen. Ist dir das recht?«, und ihre Mutter antwortet: »Nein, das ist mir nicht recht. Du weißt, dass ich es gerne habe, wenn wir gemeinsam zu Abend essen, wenn wirklich alle am Tisch sitzen. Aber ich verstehe auch, dass du einmal ein Gespräch unter Freunden brauchst, und freue mich, dass du es mir gesagt hast. Ich wünsche euch einen schönen Abend.« Fines Vater küsst sie und sagt: »Und ich freue mich, dass ich so eine verständnisvolle Frau habe.«

Fine stürmt in die Küche, nimmt beide wortlos in den Arm und verschwindet dann in ihrem Zimmer. Sie denkt noch mal an das Abenteuer, als sie mit Tom zur Quelle der Wahrheit geklettert ist. Alles ist gutgegangen, und Fine seufzt. Das Wasser aus der Quelle hat ihrem Dorf Frieden gebracht.

Elsa entdeckt den Wald

Erinnerst du dich an Elsa, wie sie ihren Stall verließ und in den Wald lief? Dort traf sie das freundliche Reh, das ihr schon viel über das Leben im Wald erzählt hat. Die beiden haben sich in der Zwischenzeit richtig angefreundet. Inga – so heißt das Reh – hat Elsa ihre Freunde vorgestellt, sie vor Gefahren gewarnt und ihr gezeigt, welche Kräuter und Gräser am bekömmlichsten sind. Jetzt stehen beide dicht nebeneinander und genießen die warmen Sonnenstrahlen auf dem Fell. »Ich hätte nie gedacht, dass es so etwas Schönes und Aufregendes wie den Wald gibt«, sagt Elsa grade zu Inga. »Und jedes Tier darf nach seiner Bestimmung leben und wird nicht eingesperrt.« »Das stimmt«, sagt Inga, »aber im Wald lauern auch Gefahren.« Elsa schaut sie fragend an. »Nicht alle Tiere ernähren sich von Gräsern und anderen Pflanzen«, fährt das Reh fort. »Es gibt auch Raubtiere, die andere Tiere fressen.« »Das ist ja entsetzlich!«, ruft Elsa erschrocken. »So etwas passiert in diesem schönen Wald?« Inga nickt. »Aber du bist groß«, beruhigt sie Elsa gleich wieder. »Das einzige Tier, dem du unbedingt aus dem Weg gehen musst, ist der Wolf. Besonders wenn er seine Jungen verteidigt, ist mit ihm nicht zu spaßen.«

»Das mit den Jungen ist schön«, seufzt Elsa. »Wir durften unsere Kälber nie lange bei uns behalten, obwohl unsere Milch doch eigentlich nur für sie ist.« Beide Tiere schwiegen nachdenklich. So viel gibt es, was man im Wald lernen kann.

Elsa nickt Inga zu und trabt langsam weiter. Inzwischen dämmert es im Wald. Der Tag geht zu Ende, und Elsa will sich noch einen gemütlichen Platz zum Schlafen suchen.

Plötzlich bleibt sie stehen und lauscht. Was raschelt da im Gebüsch direkt vor ihr? Sie denkt an das, was Inga ihr gesagt hat, und wirklich, sie blickt einem großen braunen Wolf direkt in die Augen. Elsa zittert und traut sich nicht mehr zu atmen. Soll sie weglaufen, so schnell sie kann? Da spricht der Wolf sie an: »Wer bist du denn, und was zitterst du so? Ich bin doch satt.« Elsa bekommt keinen Ton heraus. Sie denkt nur: »Bitte friss mich nicht!« »Na gut, ich schätze, du bist fremd hier«, knurrt der Wolf. »Dann will ich dir mal etwas erzählen.« Er setzt sich, um die verstörte Kuh vor ihm etwas zu beruhigen. »Ich bin Lupo, der Leitwolf meines Rudels«, beginnt er. »Dieser Wald hier ist unser Revier. Und natürlich müssen wir auch etwas fressen. Wir ernähren uns von Rehen und Wildschweinen.« Elsa guckt ganz erschrocken. Inga ist doch ein Reh! »Guck nicht so«, knurrt Lupo wieder. »Die Natur hat das so eingerichtet. Es gibt Fleisch- und Pflanzenfresser. Und wir Wölfe sind nun mal Fleischfresser. Wir jagen auch zuerst die kranken, schwachen Tiere. Die können ja nicht vor uns davonlaufen, und wir erlösen sie von ihrem Elend. Aber wir töten nur, wenn wir Hunger haben, nicht wie der Mensch aus reiner Lust.« Jetzt schaut er ganz grimmig. »Überhaupt diese Menschen! Erzählen sich Märchen vom bösen Wolf und jagen uns, wo sie nur können. Vor wenigen Tagen hat sich ein junger Wolf aus meinem Rudel versehentlich einem Wohngebiet genähert beim Herumstreifen, und sofort haben sie auf ihn geschossen. So ein Unfug«, grummelt er vor sich hin. »Wir haben noch nie Menschen etwas getan. Sie sollen uns einfach in Ruhe lassen, und wir lassen sie in Ruhe. Das ist die Natur, und wir haben alle das gleiche Recht, hier zu leben, jeder auf seine Weise. Hast du das jetzt verstanden?«, fragt er Elsa. »Jjja«, stottert Elsa, »ich habe begriffen, dass es Tiere gibt, die fressen, und andere, die gefressen werden. Aber Inga ist doch meine Freundin!«, ruft sie entsetzt. »Ich kenne deine Inga, dieses nette Reh«, brummt Lupo. »Sag ihr, sie soll ihr Kitz immer in ihrer Nähe behalten und uns aus dem Weg gehen, dann passiert auch nichts.« Lupo sieht Elsa nochmals in die Augen, dann dreht er sich um und trabt leise davon.

Elsa atmet einmal tief ein und entspannt sich wieder. Das muss sie unbedingt Inga erzählen. Schnell läuft sie zurück zu dem Platz, wo sie sich getrennt haben. »Inga!«, ruft sie ihr schon von weitem entgegen,

»du glaubst nicht, was mir gerade passiert ist!« Inga steht dicht neben ihrem Kitz und schaut Elsa mit ihren schönen Rehaugen an. Und Elsa beginnt sofort von ihrer Begegnung mit dem Leitwolf zu erzählen. Inga kann zuerst gar nicht glauben, dass dieser gefährliche Wolf Elsa hat laufen lassen. Aber als die Kuh ihre Geschichte beendet hat, nickt sie vor sich hin und spricht: »Jetzt habe auch ich etwas gelernt. Ich war blind vor Angst und habe deshalb die Wölfe für böse Tiere gehalten. Aber jetzt bin ich doch sehr froh, dass es in unserem schönen Wald nichts Böses gibt. Wir müssen uns nur Mühe geben und lernen, die Natur zu verstehen und zu respektieren.« »Das stimmt«, sagt Elsa, »so habe ich den Wolf auch verstanden. Die Bäume des Waldes, die Tiere und auch die Menschen, wir alle sind Teile der Natur, und wenn wir Achtung und Respekt voreinander haben, kann es allen gutgehen.«

Nach diesen Worten gähnen die Tiere und schlafen friedlich ein.

Anna begegnet dem Sinn des Lebens

Anna ist ein junges Mädchen. Sie wandert grade durch ihren Lieblingswald und ist glücklich. Die Sonne scheint, es ist warm, bunte Blumen blühen am Wegrand, und die Vögel zwitschern ihre Lieder. Am liebsten möchte Anna diesen Augenblick für immer festhalten.

Sie kommt an einer kleinen Wiese vorbei und beschließt spontan, ihren Weg kurz zu unterbrechen. Sie legt sich mitten auf die Wiese, breitet die Arme aus. Gänseblümchen nicken ihr zu, und tief entspannt schließt sie die Augen und genießt den Moment. Das Leben ist einfach nur schön.

Doch was ist das? Als sie sich aufsetzt und die Augen wieder öffnet, befindet sie sich immer noch mitten auf der Wiese, aber rundherum gehen ganz viele Wege ab. Am Rand der Wiese steht jetzt ein Holzschild, auf dem in schnörkeligen Buchstaben zu lesen ist: »Wähle den Weg deines Lebens«.

Anna ist ganz verwirrt. Wie soll sie nur nach Hause finden? Sie beschließt, einen Weg auszuwählen und ein paar Schritte zu gehen, in der Hoffnung, dass ihr etwas bekannt vorkommt. So nimmt sie den Weg, der gleich hinter dem merkwürdigen Schild beginnt, und läuft zügig drauflos. Nach wenigen Schritten macht der Weg eine Kurve, und hinter dieser blendet sie plötzlich ein helles Licht. Anna knibbelt mit den Augen, und auf einmal sieht sie sich selbst wie in einem Film. Sie sieht, wie sie nach einem langen Arbeitstag aus dem Büro kommt und in ein sportliches Auto einsteigt. Sie fährt zu ihrer Wohnung, die sehr modern eingerichtet ist, zieht ihr elegantes Kostüm aus und Jeans und ein bequemes T-Shirt an. Kochen? Nein, dazu ist sie zu müde. Sie bestellt sich eine Pizza und schläft schon beim Essen auf dem großen Ledersofa vor dem Fernseher ein.

Anna schüttelt verwirrt den Kopf und macht einen Schritt zurück. Schon ist sie wieder mitten auf der Wiese. Eigentlich versteht sie das

Ganze nicht, aber sie ist auch neugierig. Deshalb betritt sie jetzt den nächsten Weg. Auch hier wieder das Gleiche: Sie wird von einem hellen Licht geblendet und sieht sich selbst erneut vor sich.

Diesmal ist sie schon zu Hause, müde, weil der Tag in der Praxis anstrengend war. Ihre Termine waren wieder so dicht gelegt, dass sie kaum Luft zum Atmen hatte. Jetzt muss sie schnell noch ein leckeres Essen zaubern, weil bald ihr Mann und die beiden Söhne nach Hause kommen. Sie ist stolz auf ihre beiden Jungen, aber sie wünscht sich, viel mehr Zeit für die Familie zu haben. So schnell sind die beiden groß geworden. Bald gehen sie aus dem Haus, und sie hätte ihnen so gerne noch viel mehr mitgegeben.

Wieder geht Anna einen Schritt zurück, und wieder steht sie auf der Wiese.

Ob sie es noch einmal wagen soll? Mutig wählt sie einen dritten Weg.

Auch hier erscheint wieder das helle Licht, und diesmal sieht sie sich in einer gemütlich eingerichteten Dachgeschosswohnung. Die Schrägen sind mit bunten Tüchern dekoriert, das Fenster schmückt eine Friedenstaube, und große Regale sind gefüllt mit Büchern und Studienunterlagen. Eine Mitbewohnerin nimmt sie in den Arm und fragt sie, welchen Tee sie ihr zur Entspannung kochen soll.

Anna seufzt und macht wieder einen Schritt zurück. Die kleine Wohnung ist verschwunden, sie setzt sich in das weiche Gras und grübelt. Was wollen diese Wege ihr sagen, wie wird ihre Zukunft aussehen? Anna fragt sich, welcher Lebensweg wohl am meisten Sinn macht. Während sie so in Gedanken versunken ist, bemerkt sie plötzlich einen Baum mitten auf der Wiese, den sie vorher gar nicht wahrgenommen hat. Da hat sie eine Idee! Sie läuft zu dem Baum und beginnt, an ihm emporzuklettern. Was wird sie sehen? Wird sie das Ende der Wege erkennen können? Wird sie herausfinden, welcher der richtige für sie ist? Sie klettert und klettert, bis die Zweige dünner werden und den Blick auf die Umgebung freigeben. Sie schaut in jede Richtung, und irgendwie scheinen alle Wege am Ende gleich auszusehen.

Ihr ist so, als würde der Baum ihr etwas zuflüstern. Anna spitzt die Ohren und meint folgende Worte zu hören: »Liebe Anna, jeder Weg führt zum Ziel, wenn du dein Leben bewusst lebst und dir selbst treu bleibst. Den Sinn deines Lebens gibst du ihm selbst, du kannst entscheiden.« Anna prägt sich jedes Wort genau ein und klettert langsam wieder herunter. Als sie unten angekommen ist, sieht wieder alles so aus wie sonst, und sie macht sich auf den Heimweg. In sich hat sie das Gefühl, dass sie in ihrem Leben – egal wie sie sich entscheidet – Glück und Zufriedenheit finden kann, und dieses Gefühl tut ihr sehr gut.

Anouk versteht

Vor sehr, sehr langer Zeit lebte einmal ein Mädchen, das hieß Anouk. Zu der Zeit gab es keine Autos, Flugzeuge, Züge, keine Häuser, Computer oder Handys. Anouks Volk lebte in unterschiedlich großen Gemeinschaften zusammen. Sie wohnten in Zelten mitten in der Natur, die noch ganz in Ordnung war. Die Luft war sauber, das Wasser in Seen und Flüssen frisch und klar. Es gab auch keine Schulen, in die die Kinder gehen mussten, was aber nicht bedeutete, dass sie nichts lernten. Im Gegenteil, wenn die Kinder dort etwa 14 Jahre alt waren, konnten sie sich selbst versorgen und, wenn sie es wollten, leben wie die Erwachsenen. Sie lernten von ihren Eltern, wie man Nahrung sammelt und schmackhaft zubereitet, welche Pflanzen Heilkräfte besaßen, welche giftig waren. Sie konnten selbst Zelte bauen und auf handgefertigten Instrumenten wunderschön musizieren. Sie lernten auch, was für ihr Zusammenleben wichtig war: dass man sich um Alte und Kranke kümmert und gemeinsam auf die Kleinsten aufpasst; dass man mit allem in der Umgebung respektvoll umgeht.

Um dieses Wissen weiterzugeben, gab es den Kreis der Weisen. Sie beantworteten alle Fragen, die ihnen jemand aus der Gemeinschaft stellte. Abends bei Sonnenuntergang war ihr Zelt geöffnet, und wer ein Anliegen hatte, durfte eintreten.

Diesmal stand Anouk vor dem Zelt. Sie war sehr aufgeregt, wusste einfach nicht weiter. Sie hatte etwas erlebt, was sie überhaupt nicht verstehen konnte. Deshalb war sie jetzt hier. Sie wollte die Weisen um Hilfe bitten.

Der Eingang zum Zelt war geöffnet, was bedeutete, dass man nun eintreten durfte. Langsam ging Anouk durch die Öffnung in das Zelt. Dunkelheit empfing sie, es brannten nur zwei Fackeln. Ein würziger Duft zog durch das große Zelt, der von einem kunstvoll verzierten Räuchergefäß kam, auf dem Salbeizweige lagen.

Die Weisen saßen darum herum in einem Halbkreis. Sie blickten Anouk an, und eine alte Frau mit einem Gesicht, in das das Leben unzählige Falten gemalt hatte, sprach sie freundlich an: »Was ist dein Anliegen an uns, Anouk? Sprich!«

Anouk schluckte einmal. Sie hatte großen Respekt vor den Weisen und wollte alles richtig machen.

»Ich habe heute etwas erlebt, das ich überhaupt nicht verstehe«, begann sie. »Vielleicht könnt ihr mir helfen.« Die alte Frau nickte ihr auffordernd zu, und Anouk erzählte ihre Geschichte.

»Heute Morgen war ich alleine unterwegs. Ich wollte einmal sehen, wie es hinter dem großen See aussieht. Also machte ich mich auf den Weg, umrundete den See und kletterte auf die Hügel, die dahinter liegen, selbst noch auf den felsigen Berg. Da bin ich vorher noch nie gewesen.« »Dieses Land gehört auch nicht mehr zu unserer Gemeinschaft«, warf ein älterer Mann ein, »wir halten uns mehr im Süden auf.« Anouk nickte. »Das habe ich gemerkt, denn als ich eine Rast gemacht habe, habe ich mich in das Gras gesetzt und an einen Felsen gelehnt und die Umgebung beobachtet. Auf einmal kamen Menschen angelaufen, sechs Männer und eine Frau. Sie liefen hinter einer Bergziege her, und als die Ziege stehen blieb, schossen die Männer mit Pfeilen auf sie!« Anouk wischte sich zwei Tränen aus den Augen. Sie war immer noch entsetzt über das, was sie gesehen hatte. »Ich konnte mich nicht bewegen und einfach weglaufen«, sprach sie weiter, »und so sah ich, dass die Männer die getötete Ziege zu der Frau schleppten. Sie schnitten der Ziege den Bauch auf, schnitten etwas heraus und steckten es auf Spieße, die sie ins Feuer hielten. Der Geruch war für mich fast unerträglich, aber das Schlimmste war: Sie aßen das!«

Anouk musste sich schütteln bei dem Gedanken daran. »Wie kann man so etwas tun, was waren das für grausame Menschen?«, fragte sie. »Ich denke, alle Tiere sind unsere Freunde!«

Anouk schwieg erschöpft.

»Setz dich zu mir, Kind«, sprach die alte Frau sie an. Sie reichte ihr einen Becher mit warmem Tee, der aromatisch duftete. Dankbar nahm Anouk einen großen Schluck. »Könnt ihr mir helfen, das zu verstehen?« Sie sah die Weisen fragend an.

Einer der Weisen erhob seine Stimme und sprach dann zu Anouk: »Menschen, die Angst haben, brauchen etwas, damit sie sich stark fühlen. Sie töten Tiere, um ihre Macht zu demonstrieren. Sie essen sie, weil sie glauben, dann selbst stärker zu werden.

Wir ernähren uns von den Früchten der Erde, das hält uns gesund. Und wir haben keine Angst.

Ich will dir etwas Wichtiges verraten: Wenn du nur einen Menschen auf der Welt findest, der dich lieb hat, brauchst du keine Angst zu haben und bist reicher, als wenn alle Schätze dieser Erde dir gehörten.«

Anouk nahm die Worte des Weisen auf, und sie verstand. Ein glückliches Lächeln breitete sich auf ihrem Gesicht aus.

Sie atmete tief ein. Wo waren ihre Sorgen und Ängste geblieben? Alles fühlte sich leicht wie eine Feder an. Sie blickte die Weisen an und sagte: »Danke, dass ich verstehen durfte.« Die Weisen nickten ihr gütig zu, und Anouk verließ vollkommen zufrieden das Zelt.

Die verwunschene Gasse

Julia ist längst wieder zurückgekehrt, in ihrem ganz normalen Alltag angekommen. Aber Linas Worte hat sie nicht vergessen. Und auch, wenn sie es eigentlich gar nicht wollte – natürlich hat sie die verwunschene Gasse gesucht. Die ganze Stadt hat sie durchkämmt, aber nichts Ungewöhnliches ist ihr aufgefallen. Nicht selten ist sie mit Blasen an den Füßen nach Hause gekommen. Und auf ihren Bruder ist sie immer noch böse. Die schöne Karte. »Aber Jammern nützt nichts«, sagt sich Julia, »ich male eine neue.« Sie sucht ihre Stifte zusammen und sieht, dass grade der rote Filzstift leer ist. So ein Pech. Also macht sie sich auf den Weg zu ihrem Lieblingsschreibwarenladen, zum Tintenklecks. Die Inhaberin ist so nett und freundlich und hat ihr schon oft geholfen, genau das Richtige zu finden, und es gibt da so viele schöne Dinge, dass Julia immer wieder gern dort hingeht.

»Ich habe soeben wunderschöne Filzstifte bekommen, sie leuchten richtig«, sagt ihr die Inhaberin grade, »aber sie sind noch im Lager. Willst du sie eben selbst holen?« »Gerne«, antwortet Julia. Sie kennt sich gut aus in dem Laden und öffnet die Tür zum Hof, wo sich das Lager befindet. Sie macht einen Schritt nach draußen – und bleibt plötzlich stehen. Wo ist sie hier? Vor sich sieht sie eine kleine Gasse mit Kopfsteinpflaster, verschnörkelten Straßenlaternen, Häuser mit alten, schweren, efeuumrankten Haustüren, einladenden Holzbänken zwischen Blumenkübeln, Katzen, die sich in der Sonne räkeln. Aber diese Häuser! So etwas Merkwürdiges hat Julia noch nie gesehen. Neugierig macht sie sich auf den Weg, um sich alles anzusehen. Das erste Haus scheint auch das verrückteste zu sein. Das Dach ist unten, der Keller ragt in den Himmel. Davor steht ein Schild, auf dem goldene Buchstaben glänzen: »Manchmal muss man sich auf den Kopf stellen, damit alles wieder normal wird.« Julia geht weiter. Sie sieht ein buntes Haus mit vielen Türmchen und einem Schild über der Eingangstür:

»Atelier Lebenskunst«. Sie wirft einen Blick hinein und sieht große Leinwände und unzählige Töpfchen mit Farben. Eine Frau winkt ihr zu und ruft: »Tritt ein, hier kannst du dein Leben malen.« Julia staunt, aber es gibt noch so viele andere Häuser, und sie geht weiter.

Sie kommt an eine Gaststätte und merkt, dass sie eine kleine Stärkung gebrauchen könnte. Sie öffnet die Tür mit dem Schild »Haus der Gedichte« und geht hinein. Eine Stimme begrüßt sie: »Willkommen, mein Kind – woher weht der Wind?« Julia blickt sich erstaunt um und setzt sich erst mal an einen kleinen Tisch. Überall an den Wänden hängen Tafeln mit Gedichten. Über der Theke leuchtet in großen Buchstaben ein Spruch: »Trinken und essen? Den Reim nicht vergessen!« Eine freundliche Bedienung kommt zu ihrem Tisch und wartet offensichtlich auf ihre Bestellung. Julia denkt kurz nach und sagt dann: »Da drüben den Kuchen möcht ich gern versuchen.« Die Bedienung nickt und bringt ihr ein großes Stück Apfelkuchen. Sie stellt ihn vor sie auf den Tisch und sagt: »Möchtest du trinken, musst du mir nur winken.« Julia nickt und verspeist den köstlichen Kuchen. Grade überlegt sie, dass sie bezahlen möchte, da hört sie den Spruch: »Essen soll schmecken – die Lippen ablecken. Wir brauchen kein Geld, wenns dir nur gefällt.« Da steht sie auf und sagt: »Ich danke euch sehr, komm gern wieder her!«

Dann geht sie weiter die Gasse entlang und kommt an einem Haus vorbei mit einem großen Schriftzug auf dem Dach. »Wahrheitshaus« liest sie da, und auf einem Schild im Fenster steht, dass hier nur die Wahrheit gesprochen werden darf. Ein junges Pärchen steht davor und überlegt lange, ob es hineingehen soll. Ein Stückchen weiter steht am Straßenrand ein großer Eimer, dessen Deckel sich hebt und senkt, und Julia hört ihn sagen: »Ich bin der sprechende Mülleimer – hier kannst du alle Sorgen loswerden.« Und dann reißt er den Deckel weit auf.

Julia staunt und bleibt kurz stehen, aber dann hat sie das Gefühl, dass sie weitergehen muss. Sie sieht etwas weiter entfernt ein Haus, das sie wie magisch anzuziehen scheint. Ihre Schritte beschleunigen sich wie von selbst, dann ist sie angekommen. Sie erblickt ein Haus, das irgendwie merkwürdig aussieht. Julia kann gar nicht genau sagen, woran das liegt. Über dem kleinen Eingang auch hier ein Schild, aber auf diesem prangt spiegelverkehrt der Schriftzug »suahrhekmU«. Julia betritt das Haus und sieht sich erst mal um. Sie steht in einer großen lichtdurchfluteten Halle, von der viele Türen abgehen. Eine junge Frau kommt auf sie zu und spricht sie an: »Möchtest du jetzt Hilfe?« Julia schaut sie verwundert an und kann nur nicken, denn sie hat das Gefühl, in einen Spiegel zu sehen, so ähnlich ist ihr die junge Frau. Diese streckt die Hand aus und führt Julia in einen kleinen Raum. Er ist fast leer. In der Mitte steht ein großes rotes Sofa, an der gegenüberliegenden Wand befindet sich ein schwerer Vorhang. Julia setzt sich automatisch auf das Sofa. »Bist du bereit?«, fragt die junge Frau. Julia nickt erwartungsvoll. Da öffnet sich der Vorhang und gibt den Blick frei auf eine Leinwand. Der Film beginnt. Julia sieht die erste Szene: Da ist ihr Bruder, noch ein kleines Kind, wie sie ihn von ganz alten Fotos kennt. Er schaut traurig zu seinen Eltern hinüber, die ein Baby auf dem Arm halten und sich mit ihm beschäftigen. »Nie habt ihr Zeit für mich«, sagt er leise, aber niemand hört ihn. In der nächsten Szene krabbelt seine kleine Schwester auf ein kunstvolles Bauwerk aus Legosteinen zu und beginnt strahlend damit, alles auseinanderzunehmen. Und so geht es immer weiter, bis der Bruder ein Teenager ist und frustriert in das Zimmer seiner Schwester geht. »Immer hat sie die besseren Noten«, brummelt er vor sich hin, »immer wird sie von den Eltern gelobt, nie ich, dabei strenge ich mich doch viel mehr an. Außerdem, mag sie mich überhaupt? Weiß sie überhaupt, dass es mich gibt?« Er blickt sich um, ergreift die Europakarte, faltet eine Schwalbe daraus. Dann öffnet er das Fenster – hui, wie gut die fliegt! Entspannt verlässt er den Raum.

Der Vorhang schließt sich. Julia sitzt immer noch auf dem roten Sofa, ihre Augen sind mit Tränen gefüllt. So hat sie das noch nie gesehen, hat nicht gewusst, was in dem Bruder vor sich geht. Tief in

Gedanken versunken verlässt sie das Umkehrhaus, auf dessen Türen sie beim Herausgehen liest: »Bewahre dir Verständnis und Mitgefühl«.

Julia geht Schritt für Schritt durch die verwunschene Gasse zurück und findet sich plötzlich mitten im Tintenklecks wieder, einen roten Filzstift in der Hand. Verwundert blickt sie sich um. Direkt neben ihr steht die Inhaberin, lächelt sie herzlich an und sagt: »Da hast du deinen Stift ja gefunden. Das war bestimmt nicht so einfach. Dafür schenke ich ihn dir!« Julia kann nur dankbar nicken und verlässt den Schreibwarenladen.

Zu Hause angekommen, nimmt sie ein großes Blatt vom Zeichenblock und schreibt mit dem roten Filzstift in wunderschön leuchtenden Buchstaben darauf: »Ich hab dich lieb!« Dann läuft sie zum Zimmer ihres Bruders und klebt es an die Tür.

Nele und der uralte Baum

Unsere Nele ist ein ganz besonderes Mädchen. Sie geht mit offenen Augen durch die Welt. Das heißt, sie beobachtet, sieht Dinge und macht sich ihre Gedanken. Und wenn sie etwas sieht, was nicht richtig ist, dann versucht sie es zu verbessern. Auch wenn sie dafür manchmal richtig mutig sein muss. Aber wenn Nele etwas wichtig ist, setzt sie sich dafür ein. Sie kann gar nicht anders.

Du hast bestimmt schon mitbekommen, dass es unserer Umwelt gar nicht so gut geht. Es gibt Unmengen von Plastikmüll, der sich in den Meeren sammelt und dort großen Schaden anrichtet. Das ist auch ein Thema, das Nele beschäftigt, und sie achtet bei Einkäufen darauf, so wenig wie möglich Dinge, die in Plastik verpackt sind, zu kaufen. Sie macht auch ihre Mutter darauf aufmerksam, die erst darüber nachdenkt und dann auch umweltbewusst handelt und dabei sehr stolz auf ihre Tochter ist.

Ihr merkt, Nele ist wirklich ein ganz außergewöhnliches Mädchen. Nele pflückt auch keine Blumen mehr. Früher hat sie ihrer Mutter manchmal einen Strauß selbstgepflückter Blumen geschenkt, aber jetzt hat sie das Gefühl, dass die Blumen nach dem Pflücken ganz traurig gucken und die Blätter hängen lassen, weil sie spüren, dass sie bald sterben müssen. Manchmal denkt Nele: »Ob ich so langsam verrückt werde, wenn ich mir einbilde, so etwas zu beobachten?« Sie grübelt so intensiv darüber nach, dass sie fast Kopfschmerzen davon bekommt. Und das ist auch so eine Sache: Wenn Nele nicht mehr so richtig weiterweiß, dann geht sie in den Wald, denn da kann sie wunderbar zur Ruhe kommen.

Also zieht sie sich auch jetzt feste Schuhe an und wandert in den Wald. Dort angekommen, bleibt sie zuerst einmal stehen. Sie atmet tief durch und genießt die saubere Luft, das Zwitschern der Waldvögel und das Rascheln der hohen Bäume. Und plötzlich hat sie wieder so ein unbestimmtes Gefühl. Sie kann es gar nicht beschreiben, aber irgendwie zieht es sie in eine bestimmte Richtung. Nele geht weiter und weiter, immer tiefer in den Wald hinein. Das Unterholz wird dichter, der Geruch des Waldes noch intensiver, und Nele spürt: »Jetzt bin ich angekommen.« Sie bleibt stehen und schaut sich um. Genau vor ihr steht ein riesiger, uralter Baum mit wunderbar verzweigten Ästen und einer Rinde um einen gewaltigen Stamm, den sie einfach berühren muss. Ihre Hände gleiten über das raue Holz, das sich auf eine Art auch weich anfühlt, und ein warmes Gefühl durchströmt sie. Nele legt ihre Arme um den Baum und lehnt sich sanft an ihn. Und plötzlich ist es so, als ob der uralte Baum zu ihr spräche. »Ich grüße dich, mein Kind. Schön, dass du den Weg zu mir gefunden hast, denn ich habe dich gerufen.« Nele kann nur sprachlos nicken. Genau so war es für sie – als ob der Baum sie gerufen hätte.

»Du bist ein ganz besonderes Menschenkind, du trägst die Liebe zur Natur in deinem Herzen, deshalb will ich dir ein wenig vom Leben erzählen. Lehn dich an mich und schließe die Augen.« Nele drückt sich noch ein wenig fester an die Baumrinde und schließt die Augen.

»Schau, was ich dir zeige«, spricht der Baum zu ihr. Und Nele sieht Wale, die über weite Entfernungen miteinander sprechen, zarte Erdbeerpflanzen, die wissen, wenn sie miteinander verwandt sind, und dann mehr Früchte tragen, als wenn sie neben fremden Pflanzen stehen. Dann sind da die Apfelbäume. In langen Reihen stehen sie auf der Wiese, und zu Beginn einer jeden Reihe steht ein alter, knorriger Apfelbaum. Und dieser sehr alte Baum gibt sein Wissen an die jungen Bäume in der Reihe weiter. Sie lernen beispielsweise mit Schädlingen umzugehen und helfen sich gegenseitig mit Nährstoffen aus.

So viele faszinierende Dinge lernt Nele von dem Baum, und sie ahnt, dass das Leben noch viel mehr ist, als sie bisher angenommen hat. Der Baum spricht weiter zu ihr: »Wir sind alle miteinander verbunden, Pflanzen, Tiere, Menschen, selbst die Steine. Wir müssen einander respektieren und schätzen, denn wir sind alle eins. Wenn wir das verstehen, kann unsere Erde wieder gesund werden. So funktioniert das Leben. Deine Aufgabe ist es, ein bisschen mehr Verständnis in die Welt zu bringen. Willst du das tun?«

Nele nickt ganz ergriffen – das will sie tun! Es ist, als würde der uralte Baum sie umarmen. »Dann geh jetzt in die Welt hinein. Meine Seele begleitet dich.«

Nele streicht noch einmal sanft über die Rinde, dann geht sie wieder zurück. Die Worte des Baumes wird sie nie mehr vergessen.

Der Käsekönig

Ein Parkplatz. Auf dem Parkplatz ein LKW. In dem LKW viele Kisten. In einer Kiste – ein kleines Mäuschen. Wie es dort hineingekommen ist? Das weiß es selbst nicht. Ihm ist noch ganz schwindelig von der rasanten Fahrt. Jetzt wird es in der Kiste getragen, die Kiste wird abgestellt. Es streckt sich und guckt neugierig aus einem Spalt in der Kiste hinaus. Interessant sieht es aus, stellt das Mäuschen fest. Es schnuppert so intensiv, dass die kleinen Schnurrhaare zittern. Irgendetwas dort draußen duftet sehr verführerisch. Es schlüpft aus der Kiste und sieht sich erst einmal um. Was es sieht, gefällt ihm sehr. Es ist in einem Lebensmittelladen gelandet. Kein Mensch ist zu sehen, also schlüpft es geschwind durch alle Gänge, schnuppert hier, schnuppert da. Unter dem Brotregal findet es einige Krümel. Hmmm, Dinkel-Vollkorn, das schmeckt! Aber dieser betörende Duft, den es vorhin in der Nase hatte, wo mag der wohl hergekommen sein? Das Mäuschen schließt die Augen und konzentriert sich. Dort hinten muss es sein! Schnell trippelt es auf seinen kleinen Mäusepfötchen in den hinteren Teil des Ladens. Und richtig, der herrliche Duft wird immer stärker. Das Mäuschen traut seinen Augen nicht: eine riesengroße Theke, gefüllt mit den leckersten Käsesorten! Am liebsten würde es sofort in die Theke springen und jede einzelne dieser Köstlichkeiten probieren. Aber das Mäuschen hat schon häufiger bei Menschen gelebt und weiß, dass diese ihren Käse gar nicht gerne mit Mäusen teilen, auch wenn sie ganz viel Käse haben und so eine kleine Maus immer nur ein kleines Stück futtern kann. Also sucht es den ganzen Boden um die Theke herum ab, ob nicht irgendein kleines Stück Käse zu finden ist. Erst, als das Mäuschen bereits ganz erschöpft ist von der langen Suche, findet es weit hinten in einem kleinen Spalt ein winziges Stück. Es genießt das Stückchen sehr und sucht sich dann einen gemütlichen, versteckten Schlafplatz für die Nacht, denn hier möchte es gerne bleiben.

Am nächsten Morgen wird es wach vom Licht und verschiedenen Geräuschen. Die Menschen sind da. Weil das Mäuschen weiß, dass viele Menschen erschrecken bei seinem Anblick, beschließt es, heimlich nach draußen zu schleichen und erst abends wiederzukommen. Es ist schon fast draußen, da sieht es einen Mann, der ein großes Käserad trägt. Das Mäuschen bleibt einen kurzen Augenblick stehen und bestaunt das riesige Käsestück. In diesem Moment erblickt der Mann die kleine Maus. »Was machst du denn hier?«, fragt er sie. »Weißt du nicht, dass das hier ein Lebensmittelgeschäft ist? Hier dürfen doch keine Mäuse sein!« Das Mäuschen guckt ganz erschrocken. Natürlich weiß es das, aber der viele Käse hier, der so verführerisch duftet! Es verharrt ganz still. Was wird der Mann jetzt tun? Dieser schaut das verängstigte Tier an. »Na gut«, sagt er, »ich sehe, dass du dich bisher gut benommen hast, du warst nicht in meiner Käsetheke. Wenn ich dich darin erwische, fliegst du raus. In einem so hohen Bogen, dass du denkst, du bist keine Maus, sondern eine Taube!«

Das Mäuschen nickt ganz zaghaft, dann huscht es flink hinaus.

Der Mann legt das Käserad in die Theke und bereitet sich auf den Verkauf vor. Erst am Abend, als er Ordnung macht, denkt er wieder an die kleine Maus. Ob sie wohl wiederkommt? Er nimmt ein Messer und schneidet ein kleines Stück Käse ab. Ganz hinten in einer Ecke versteckt er es und macht dann Feierabend.

Das Mäuschen hat beobachtet, wie der Laden sich leert, und schlüpft schnell wieder hinein. Es hatte einen aufregenden Tag, weil es die Umgebung erkundet hat. Jetzt ist es müde und hungrig. Es trippelt eilig zur Käsetheke und schaut sich dabei nach etwas Essbarem um. So ein Pech – alles ist sauber und ordentlich. Enttäuscht und mit knurrendem Magen sucht es seine Schlafstelle von letzter Nacht. Ob es doch einmal in der Theke nachsehen soll? Aber nein, dann würde es den netten Mann verärgern, und außerdem hatte es sich doch vorgenommen, das nicht zu tun. Erschöpft findet es seinen Platz wieder und traut seinen Augen nicht! Direkt an der Stelle von gestern liegt ein wunderbares

Stück Käse. Das Mäuschen kann sein Glück kaum fassen. Es macht es sich in seinem Schlafwinkel gemütlich und verspeist voller Genuss das Käsestück. Das Mäuschen kommt sich fast vor wie im Märchen. Diese wunderbare Theke voll mit den leckersten Käsesorten, und dann dieser Mann, dem der ganze Käse gehört. Er fürchtet sich nicht, er will das Mäuschen noch nicht einmal verjagen. Im Gegenteil, er ist so großzügig und legt ihm sogar noch ein großes Stück Käse hin.

Dieser Mann muss ein König sein – ein Käsekönig! Mit diesem Gedanken schläft das Mäuschen ein und träumt von einem prächtigen Schloss, das ganz aus Käse besteht. Viele Räume, große Säle, hohe Türme – und alles aus dem feinsten Käse. Und einmal am Tag, zur Mittagsstunde, betritt der Käsekönig den größten Saal im Schloss. Er schreitet mit langen Schritten zu einer Glocke und lässt sie laut ertönen. Und solange der Klang der Glocke zu hören ist, darf jeder im Schloss, ob Mensch oder Maus, nach Herzenslust an dem Käse knabbern.

Das Mäuschen lächelt im Schlaf und freut sich schon auf den nächsten Tag.

Die vier und das neue Schlaraffenland

Hannes, André, Ria und Nathalie sind auf dem Weg zur Schule. Sie gehen in die 7. Klasse der Realschule und haben alle den gleichen Schulweg, weil sie auch in der gleichen Straße wohnen. Sie kennen sich schon lange und sind gute Freunde.

Ria sagt gerade: »Seid ihr auch noch so müde? Ich bin gestern ganz spät erst eingeschlafen, und jetzt haben wir auch noch Politik. Wenn ich nur daran denke, schlafe ich gleich wieder ein.« Nathalie stimmt ihr zu. »Politik ist entsetzlich langweilig.«

Die vier brummeln noch ein bisschen herum, dann betreten sie das Klassenzimmer und setzen sich auf ihre Plätze.

Frau Schanze, die Lehrerin, begrüßt die Klasse. »Guten Morgen, ihr Lieben. Ich sehe in euren Gesichtern, dass einige noch nicht richtig wach sind, und ich weiß auch, dass Politik nicht gerade euer Lieblingsfach ist.« Einige Schüler nicken. Frau Schanze fährt fort: »Das geht euch so wie sehr vielen Menschen in diesem Land, die Politik auch langweilig finden. Deshalb habe ich mir etwas Besonderes für euch überlegt.« Einige Schüler hören interessiert zu, und selbst Ria ist gespannt.

»Wir werden ab heute eine Projektwoche starten. Ihr bildet Gruppen zu vier bis fünf Schülerinnen und Schülern. Wenn sich alle zu Gruppen gefunden haben, verlegen wir den weiteren Unterricht nach Hause.« Nachdem die Jubelschreie leiser geworden sind, kann Frau Schanze fortfahren: »Das heißt aber nicht, dass ihr frei habt. Eure Aufgabe ist es, euch ein eigenes Projekt zu überlegen, in dem ihr zum Schluss vortragen könnt, wie ihr euch gelebte Politik vorstellt. Morgen stellt dann jede Gruppe ihr Projekt der Klasse vor, und wir besprechen das weitere Vorgehen.« Aufgeregt schließen sich die Kinder zu Gruppen zusammen. Die erste Gruppe steht sofort fest: André, Ria, Hannes und Nathalie. Sie beschließen, zu Nathalie zu gehen. Da gibt es einen großen, runden Küchentisch, an dem man sehr gut sitzen kann, und meistens steht da ein wunderbarer Kuchen drauf.

Bei Kuchen und Tee werden die vier kreativ und diskutieren, wie ihr Projekt aussehen könnte. Ria sagt gerade wieder: »Politik ist trotzdem doof. Schaut euch doch unsere Politiker an: Sie erhöhen die Steuern, alles wird teurer, aber sie selbst fahren in dicken Autos durch die Gegend und fordern andere zum Sparen auf.« Die anderen stimmen ihr zu, und André schlägt vor: »Lasst uns doch einmal sammeln, welche Regeln es geben und wie in unseren Augen ein guter Politiker sein müsste, denn es ist immer leicht zu meckern, aber wie würden wir es besser machen? Und denkt immer dran – wir sind das Volk!« Alle finden Andrés Vorschlag gut, und bald entsteht auf Hannes' Block folgende Liste:

Für unser Land gelten folgende Regeln:
Alle Menschen sind gleich.
Jeder Mensch entscheidet, wo er leben will.
Religionen dürfen nie erzwungen werden.
Alle Menschen haben das Recht auf seelische und körperliche Unversehrtheit.
Alle Menschen haben Respekt vor der Natur und allem Leben.
Die Menschen haben einen Anspruch auf Glück.
Es regiert Liebe statt Hass und Gewalt.
Es gibt keine Waffen.
Politiker müssen Vorbilder sein.
Qualifikation: Sie müssen einen Nachweis bringen über ein soziales Hilfsprojekt, in dem sie arbeiten.
Sie müssen positiv denken.
Sie dürfen nicht lügen.
Politiker dürfen nicht besser leben als der Ärmste im Land.

Geschafft betrachten die vier ihr Werk. »Das wäre wirklich ein Schlaraffenland«, seufzt Nathalie, »aber das war ganz schön anstrengend, ich kann jetzt nicht mehr.«

Zufrieden trennen sich die vier und verabreden sich für den nächsten Tag für den Schulweg.

Als sie sich am Morgen gemeinsam auf den Weg machen, sind sie aufgeregt. Was wird man wohl zu ihrem Projekt sagen?

Und so melden sie sich auch als Erste, als die Lehrerin fragt, welche Gruppe ihr Projekt vorstellen möchte. Alle vier kommen nach vorne.

Ria beginnt und erzählt der Klasse, dass ihr Projekt »Das neue Schlaraffenland« heißt, weil da die Menschen zwar keine Leckereien bekommen, aber auf andere Art glücklich und zufrieden leben können. André erklärt, dass sie sich eine Regierung und Gesetze ganz anders vorstellen, und zeigt auf die Tafel, an die Hannes in der Zwischenzeit ihre gesammelten Regeln geschrieben hat.

Zuerst ist es ganz still in der Klasse, aber als Frau Schanze sich bei ihnen für ihre Arbeit bedanken will, kommt sie kaum zu Wort. Alle reden durcheinander: »Das ist spannend!« »Kinder sollen regieren!« »Kinder an die Macht!« »Wie cool ist das denn!« »Aber wie soll man wählen?« »Politiker müssen dann menschlich sein, nicht reich!«

Als Frau Schanze nach der ersten Aufregung fragt, wer noch sein Projekt vorstellen möchte, sind sich alle einig: Sie wollen alle mit Nathalie, Hannes, André und Ria mitarbeiten. Die Lehrerin ist einverstanden und schreibt groß an die Tafel: »Das neue Schlaraffenland«.

»Am Montag starten wir alle gemeinsam das Projekt. Bringt Ideen und Energien mit – ich bringe etwas zum Naschen mit. Das wird ein aufregendes Schlaraffenland.«

Die Kinder jubeln und freuen sich diesmal sehr auf den Politikunterricht, sogar Ria.

Im Schatten der Hexe

Rieke und Hanno sind Geschwister. Sie wohnen in einem hübschen kleinen Dorf mit vielen alten Fachwerkhäusern, aber auch die neueren Häuser passen gut dazu. Zur Schule müssen sie in den Nachbarort, aber mit ihren Fahrrädern sind sie in einer Viertelstunde dort. Es gibt einige Geschäfte in dem Dorf, eine Pizzeria und einen ganz tollen Spielplatz, wo sich alle Kinder aus dem Dorf oft treffen. Rieke und Hanno haben also alles, was sie brauchen, und sie leben gerne dort.

Da gibt es nur eine Sache, die ihnen ein etwas mulmiges Gefühl bereitet. Auf dem Weg zu ihrem Spielplatz müssen sie an einem eigenartigen Haus vorbei. Eigentlich ist das Haus gar nicht so ungewöhnlich. Gut, es ist älter als die anderen Häuser im Dorf, viel älter sogar. Es ist aus Holz, dem man die vielen Jahre deutlich ansieht. Das Dach ist ein bisschen schief, und die Fensterläden klappern, sobald es etwas windiger ist. Auch die Blumen, die am Haus wachsen, sind merkwürdig. Da gibt es keine Rosen oder andere prächtige Blumen wie in anderen Gärten. Da gibt es Kräuter. Riekes und Hannos Mutter sagt, das sind alles wunderbare Heilkräuter. Die Kinder kennen sich da nicht so aus, sie sehen nur, dass es ungewöhnlich ist. Und dann noch die Bewohnerin! Vielleicht ist sie es, die das Ganze ein wenig unheimlich macht. Sie ist eine alte Frau, bestimmt noch älter als die Oma von Rieke und Hanno, und sie trägt immer lange, weite, dunkle Röcke. Nein, sie hat keine schwarze Katze, und sie grüßt auch immer freundlich, wenn die Kinder vorbeigehen, und doch sprechen alle nur von der Hexe, wenn sie gemeint ist. Die meisten Kinder trauen sich nicht, im Dunkeln an dem Haus vorbeizugehen, und bei einigen gilt das sogar als Mutprobe.

Heute aber scheint die Sonne warm vom Himmel, und alle Kinder treffen sich am Nachmittag auf dem Spielplatz. Sie tauschen Neuigkeiten aus, besprechen, was sie Katrin nächste Woche zum Geburtstag schenken wollen. Dann aber geht es an die Arbeit. Die Kinder haben Holz gesammelt. Einiges ist aus dem nahen Wald, manche haben etwas von zu Hause mitgebracht. Sie wollen sich eine Hütte bauen, und das ist gar nicht so einfach. Alle sind mit Eifer dabei. Hendrik hat heute Nägel mitgebracht, Hanna und Rieke durften sich vom Vater einen Hammer ausleihen. So ist bald die erste Wand fertig. Aber was ist das? Rieke sieht, wie Hanno sich mit schmerzverzerrtem Gesicht ans Bein fasst, ganz blass wird und plötzlich zusammensackt. Erschrocken läuft sie zu ihm hin und versucht ihn aufzusetzen. Sie sieht eine Schürfwunde am Bein, ansonsten scheint er unverletzt zu sein. Doch er rührt sich nicht, liegt mit geschlossenen Augen im Gras. Zuerst ist Rieke sehr erschrocken, aber dann fällt ihr ein, dass so etwas schon einmal passiert ist. Ihr Bruder kann nämlich kein Blut sehen und wird dann ohnmächtig. Was soll sie jetzt tun? Die anderen Kinder stehen erschrocken um sie herum, ein kleines Mädchen fängt sogar an zu weinen. Rieke beruhigt die anderen und überlegt dann: »Nach Hause ist es zu weit. Wo ist das nächste Haus? Wo können wir Hilfe bekommen?« Die anderen Kinder sehen einander an und schweigen. Alle wissen, wo das nächste Haus ist, aber da will keiner hingehen – zur alten Hexe! Rieke seufzt. Sie will ihren Bruder nicht alleine lassen, aber sie brauchen auch Hilfe. Sie weist die anderen Kinder an: »Bleibt bei Hanno, passt auf ihn auf. Dann hole ich eben Hilfe.« Entschlossen geht sie los. Je näher sie dem alten Haus kommt, desto unsicherer werden ihre Schritte. Soll sie wirklich …? Dann aber schiebt sie alle Angst beiseite. Ihr Bruder braucht Hilfe, das ist alles, was zählt. Am Haus angekommen, klopft sie energisch an die Tür. »Hier bin ich«, ertönt eine Stimme aus dem Garten. Rieke geht ums Haus und steht der alten Frau gegenüber. Aus der Nähe betrachtet sieht sie eigentlich gar nicht so schlimm aus, denkt sich Rieke und erzählt der Frau von dem Unfall ihres Bruders. Die alte Frau lässt alles stehen und liegen, holt eine Schubkarre aus dem Schuppen am Haus, legt eine Decke und eine Wasserflasche hinein und läuft mit Rieke, so schnell sie kann, zum

Spielplatz. Die anderen Kinder schauen ihnen erwartungsvoll entgegen und treten einen Schritt zurück, als die beiden ankommen. Hanno hat die Augen geöffnet und stöhnt leise. »Keine Sorge, wir helfen dir«, sagt Rieke und hält seine Hand. »Du bist Hanno?«, spricht ihn die alte Frau an. Hanno nickt nur. »Helft mir, ihn vorsichtig in die Schubkarre zu setzen«, fordert sie die Kinder auf. Vorsichtig machen sie es ihm auf der Decke bequem. Die Alte stützt seinen Rücken und hält ihm die Wasserflasche hin. »Trink einen Schluck, das tut dir gut.« Und wirklich, er hat so lange in der heißen Sonne gelegen, dass ihn das Wasser wunderbar erfrischt. Dann machen sich alle auf den Weg zum Haus. Kein Kind bleibt zurück. Dort angekommen, führt die alte Frau sie in den Garten. Hanno wird auf eine Liege gelegt, und mit flinken Händen bereitet sie einen aromatisch duftenden Umschlag für sein Bein. Dann rückt sie einen Stuhl zurecht und setzt sich so neben ihn, dass Hanno im Schatten liegt. »Kind«, spricht sie Rieke an, »geh doch bitte ins Haus. In der Speisekammer steht ein Krug mit Tee, daneben stehen Becher.« Rieke bringt die gewünschten Dinge, und bald sitzen alle Kinder im Gras und trinken kühlen Hagebuttentee. Die Kleine, die vorhin noch geweint hat vor Schreck, guckt jetzt zufrieden die alte Frau an. »Du bist ja gar keine Hexe«, sagt sie zu ihr. Die anderen Kinder halten die Luft an. Wie wird die Alte reagieren? Diese schaut erst die Kleine an, dann die anderen Kinder. Sie schmunzelt und sagt: »Jedenfalls keine böse Hexe wie im Märchen.«

Pünktchen und Sonja machen einen Ausflug

Ihr erinnert euch bestimmt noch an den Marienkäfer Pünktchen, der sich mit der jungen Biene Sonja angefreundet hat.

Heute haben sich die beiden zu einem Ausflug verabredet. Pünktchen kennt sich recht gut aus in der Umgebung, und so möchte er Sonja gerne einen Teich zeigen. Sie haben Glück, die Sonne scheint, es ist ein wunderbarer Sommertag.

»Wo fliegen wir hin?«, fragt Soja gespannt. Sie ist schon ganz neugierig, aber Pünktchen lacht sie nur an und sagt zu ihr: »Lass dich überraschen.«

So fliegen sie beide durch die warme Luft, und plötzlich glitzert etwas in der Ferne. Sie kommen näher, und Sonja erblickt einen kleinen Teich. Bunt blühende Sträucher säumen sein Ufer, und Pünktchen fliegt zu einem grünen Blatt, das mitten auf dem Teich schwimmt. Sie lassen sich nieder, und Sonja ruft ganz begeistert: »Das ist aber schön hier!« Beide strecken die Beine und spreizen die Flügel, bis sie es ganz bequem haben. Sie lauschen und freuen sich über das fröhliche Zwitschern der Vögel und das Quaken der Frösche ringsherum, bis Sonja plötzlich aufschreckt. Sie haben Besuch bekommen. Ein wunderschöner Schmetterling hat auf ihrem Blatt Platz genommen. »Guten Tag«, grüßt Pünktchen höflich. »Wer bist du denn und was führt dich zu uns?« Sonja kann gar nichts sagen. Mit offenem Mund bestaunt sie den Schmetterling. So etwas Schönes hat sie noch nie gesehen.

»Ich heiße Therese und bin ein Tagpfauenauge«, antwortet der Schmetterling auf Pünktchens Fragen, »und ich muss eine kleine Rast einlegen.«

»Sei uns willkommen, nimm Platz«, bittet Pünktchen den Schmetterling. Sonja staunt immer noch.

Therese hat orange Flügel, auf denen jeweils vorn und hinten leuchtende Augen zu sehen sind, schwarz, blau und gelb. »Du bist so schön«, spricht Sonja sie an. »Ich wünschte, ich hätte auch so schöne Farben wie du!« »Ach was«, sagt Therese zu ihr, »für uns Schmetterlinge ist das doch ganz normal.« Pünktchen schmunzelt, denn er weiß, dass längst nicht alle Schmetterlinge so viele Farben haben. »Aber du«, fährt Therese an Sonja gewandt fort, »du bist so wichtig. Was Bienen leisten, wie ihr eure Waben baut, wie so ein riesiges Volk zusammenlebt, das ist etwas ganz Besonderes und Großartiges.« Jetzt wird Sonja sogar ein kleines bisschen rot vor Verlegenheit. So hat sie das noch gar nicht gesehen. Für sie ist das Bienenvolk ihre Familie und etwas ganz Normales.

»Das ist ein Geheimnis des Lebens«, sagt Pünktchen nachdenklich. »Was für den einen normal ist, kann für den anderen etwas ganz Besonderes sein. Wichtig dabei ist, dass man sich in Freundschaft begegnet und jeden so sein lässt, wie er ist.«

Sonja staunt schon wieder, diesmal über Pünktchen. Was der doch für schlaue Dinge weiß. Sie will sich gut merken, was er gesagt hat, denn sie spürt in sich, dass das richtig ist.

Die drei sitzen noch eine Weile gemeinsam auf dem sanft schaukelnden Blatt, bis sie schließlich ausgeruht und zufrieden wieder nach Hause fliegen.

Die kleine Henne Goakedi

Der Hof, auf dem Goakedi geschlüpft ist, ist ein Bauernhof, auf dem die Tiere noch so natürlich wie möglich leben dürfen. Die Rinder und Schafe sind auf der Weide, die Katzen räkeln sich bei schönem Wetter in der Sonne, Tina, die Schäferhündin, dreht ihre Runden und passt auf, dass keiner verlorengeht, und auch die Hühner flattern fröhlich überall herum. Nur abends sind sie im Stall, damit ihnen der Fuchs nicht zu nahe kommt, aber auch da passt Tina gut auf sie auf.

Alle Tiere können dort also glücklich und zufrieden leben.

Aber gerade die Hühner haben immer wieder einmal etwas zu meckern – bzw. zu gackern. »Muss es wieder regnen heute?« »Der Hahn soll endlich mal den Schnabel halten!« »Hat der Misthaufen gestern auch so gestunken?« »Das ist mein Wurm, gib den her!«

So geht das manchmal den ganzen Tag.

Nur ein Huhn ist anders. Es flattert neugierig umher, reckt den Kopf, spreizt die Flügel und freut sich seines Lebens. Und wenn es vor lauter Glück gar nicht mehr anders kann, öffnet es seinen Schnabel und ruft laut »Goakedigoak!«.

Auf dem Hof leben auch Kinder, und die geben allen Tieren Namen. Die Hühner heißen z. B. Martha, Agathe, Erna, Lisbeth, der Hahn heißt Horst. Aber noch bevor die Kinder einen Namen für Goakedi aussuchen konnten, hatte es sich durch seine fröhliche Gackerei schon selbst einen gegeben: Die Kinder nennen es Goakedi.

Goakedi ist noch ein ganz junges Huhn, zwar schon lange kein Küken mehr, aber auch noch keine ausgewachsene Henne. Es freut sich, dass es den ganzen Tag spielen darf, aber es bewundert auch die großen Hennen, wenn sie sich zurückziehen, um Eier zu legen. Die Kinder kommen jeden Tag, um die frischen Eier einzusammeln, und die Hennen sind dann ganz stolz.

Eines Tages, als Goakedi wieder einmal mit den anderen jungen

Hühnern umherzieht, bleibt sie mitten im Spiel plötzlich stehen. Irgendetwas in ihr fühlt sich anders an als sonst. Hat sie zu viele von den schwarzen Käfern gefressen? Es rumort jedenfalls ganz gewaltig in ihrem Bauch. Sie flattert zurück auf den Hof und sucht die alten Hennen. Im Stall findet sie in einer Ecke im Stroh Agathe. Sie läuft zu ihr und erzählt ihr, dass es ihr gar nicht gut geht. Agathe stupst sie sanft mit ihrem Flügel an. »Du brauchst dir keine Sorgen zu machen, meine Kleine. Ich glaube, dein erstes Ei ist unterwegs. Du bist jetzt fast ein halbes Jahr alt, du gehörst jetzt bald zu den Großen. Ruh dich heute ein bisschen aus und komm morgen zu uns.«

Goakedi nickt, schon ein wenig getröstet. Sie flattert wieder zu den anderen hinaus und schaut ihnen beim Spiel zu. Nachdem sie in der Nacht tief und fest geschlafen hat, geht sie zu den älteren Hennen hinüber. »Da ist ja unsere kleine Goakedi«, begrüßt Agathe sie freundlich. »Such dir ein gemütliches Plätzchen im Stroh.« Goakedi findet eine kleine Mulde im frischen Stroh und kuschelt sich hinein.

Plötzlich fühlt sie wieder dieses merkwürdige Grummeln im Bauch – und da ist es! Goakedi hat ihr erstes Ei gelegt. Die anderen Hennen gackern fröhlich ihre Glückwünsche, und Goakedi plustert sich auf vor lauter Stolz. Schnell läuft sie hinaus zu den jungen Hühnern, um ihnen von dem großen Ereignis zu berichten. »Ich habe ein Ei gelegt!«, ruft sie schon von weitem – und sie kann nicht anders – hinterher kommt noch ein stolzes und glückliches »Goakedigeoak«!

Feuer im Wald

Jakob und Adil sind gute Freunde. Wenn es irgendwie geht, verbringen sie ihre gesamte Freizeit miteinander. Sie spielen gerne Computerspiele, aber am liebsten sind sie draußen in der Natur.

Da klettern sie dann auf Bäume, rennen um die Wette, spielen Fußball, sammeln im Herbst Nüsse und Kastanien für die kleineren Geschwister. Wenn das Wetter es erlaubt, zelten sie. Das ist für sie das Größte, selbst in der Nacht draußen zu sein. Diesmal haben sie sich etwas Besonderes ausgedacht. Sie wollen ein Lagerfeuer machen. Allein haben sie das bisher noch nicht ausprobiert, aber auf dem Schulausflug im letzten Jahr sah das ganz einfach aus. Sie haben Streichhölzer mitgebracht, und nachdem sie ihr Zelt mitten im Wald aufgebaut haben, wollen sie sich um das Feuer kümmern. Adil sagt zu Jakob: »Lass uns zuerst trockenes Holz sammeln.« Jakob stimmt zu, und schon bald haben sie ein hübsches Häufchen zusammengetragen.

Plötzlich hören sie ein leises Rascheln hinter sich im Unterholz, und als sie sich umdrehen, sehen sie – ja, was genau oder vielmehr wer genau ist das? So eine Gestalt haben sie noch nie gesehen. Ein Männlein, nur fast so groß wie sie selbst, steht da. Ein langer Bart ziert das Gesicht und lässt die Gestalt uralt erscheinen, gleichzeitig wirkt sie aber auch wieder sehr jung.

Adil und Jakob bekommen vor Staunen den Mund nicht mehr zu, und da spricht das Männlein sie auch noch an: »Ihr habt mich gerufen?«

»Öhm … also …«, stottert Jakob. »Eigentlich nicht«, hilft ihm Adil. »Wir wollen hier nur zelten.« Das Männlein zeigt auf die Streichhölzer. »Ihr habt Zündhölzer, ihr wollt Feuer machen. Wenn ich das spüre, eile ich sofort herbei!« Adil und Jakob sind verunsichert. »Aber ist das denn verboten?«, fragen sie enttäuscht. »Wir wollten so gerne einmal selbst ein Lagerfeuer machen.«

Das Männlein blickt auf ihren Feuerstapel und schaut dann die beiden Jungen an. »Ihr müsst noch viel lernen, sehr viel«, seufzt es, »ihr sollt euer Feuer haben, aber nicht hier. Folgt mir.« Auf seinen kurzen Beinen spurtet das Männlein los, und Adil und Jakob haben Mühe, hinterherzukommen. Es führt sie aus dem Wald hinaus, über eine große Wiese, und ist schließlich an einem hübschen Platz angekommen. Blühende Kamille duftet betörend, und in der Nähe plätschert ein kleiner Bach. »Jetzt schaut gut zu und lernt!«, spricht die kleine Gestalt mit erhobenem Zeigfinger. »Niemals dürft ihr in einem Wald ein Feuer entzünden. Das ist viel zu gefährlich.« Bei diesen Worten bekommen Jakob und Adil ein schlechtes Gewissen. Daran haben sie gar nicht gedacht. »Das Wichtigste«, fährt das Männlein fort, »ist es, eine geeignete Stelle für ein Feuer zu finden. Es darf kein leicht brennbares Material in der Nähe sein, und der Untergrund muss fest sein. Dann baut ihr eine Begrenzung aus Sand oder Steinen. Fasst mit an!« Adil und Jakob helfen, passende Steine zu finden, und legen sie zu einem großen Kreis.

»Jetzt braucht ihr Zunder. Das können Samen von Pusteblumen sein, trockenes Laub oder Holzspäne.« Eifrig suchen sie einiges zusammen und legen es in den Steinkreis. »Nun kommen dünne abgestorbene Äste und Zweige darauf, zum Schluss dann dickere Zweige und Äste.« Der Holzstapel sieht jetzt schon ganz beachtlich aus. »Wenn ich das Feuer anzünde, passt auf eure Kleidung auf. Wenn Funken auf Kunstfasern treffen, wird das gefährlich.« Die Freunde nicken. Das alles wollen sie sich gut merken. Adil hält jetzt die Streichhölzer in der Hand und blickt erwartungsvoll zu dem Männlein hinüber. Das bedeutet ihm mit einer Handbewegung, nun das Feuer zu entzünden. Adil entflammt ein Streichholz und hält es an den Zunder. Sogleich fängt das trockene Laub Feuer, und nur wenig später brennen auch schon die kleinen Zweige darüber. Alles sackt ein wenig zusammen, und dann beginnen auch die dickeren Äste zu glimmen. Bald lodern die Flammen höher, und beide Jungen blicken stumm und ergriffen auf das Lagerfeuer.

Das Männlein betrachtet sie. »Ich sehe, ihr habt gelernt und beginnt die Magie des Feuers zu verstehen. Feuer ist eine Naturgewalt. Es ist mächtig. Es kann große Zerstörung bringen, Vernichtung, aber es gibt auch Wärme, kann in kalten Regionen das Überleben sichern.« Jakob und Adil schauen einander an. So haben sie das noch nie gesehen.

»Jetzt merkt euch noch«, fährt das Männlein fort, »dass es viel Verantwortung bringt, ein Feuer zu entzünden. Eine sichere Feuerstelle zu finden, habt ihr schon gelernt. Aber genauso wichtig ist es, das Feuer richtig zu löschen. Ihr könnt es herunterbrennen lassen, bis kein einziger Funke mehr glimmt. Ihr könnt es auch mit Erde oder Sand ersticken oder mit Wasser löschen. Denkt daran: Feuer und Wind sind Freunde. Der kleinste Funke kann durch einen Windstoß das Feuer erneut entfachen. Wenn ihr euch das alles merkt und möglichst keine Spuren in der Natur hinterlasst, bin ich euer Freund.« Mit diesen Worten verschwindet das Männlein geschwind wieder im Wald.

Jakob und Adil haben noch einen wunderbaren Abend am Lagerfeuer, und als es vollständig heruntergebrannt ist, gehen sie zu ihrem Zelt. Sie liegen in ihren Schlafsäcken und blicken noch lange in die Sterne. Sie haben heute viel erlebt und viel gelernt und schlafen zufrieden und glücklich ein.

Küchenpolles Abenteuer

Ich bins wieder, eure Küchenpolle! Ich muss mich doch unbedingt noch einmal bei euch melden. Warum? Weil ich genau weiß, dass manche von euch denken, dass mein Erlebnis mit der Teigschüssel doch gar nicht so schlimm war und Küchenpollen gar kein aufregendes Leben haben. Denkste, Marie! Es lauern so viele Gefahren in einer Küche, unvorstellbar. Und ich meine jetzt nicht die Dinge, die für euch gefährlich wären – Scheren, Messer, solche Dinge sind keine Gefahr für mich, da müsst nur ihr aufpassen. Aber ich will euch erzählen, in welcher furchtbaren Situation ich nur ganz knapp mit dem Leben davongekommen bin.

Wie so oft standen die Menschen in der Küche und haben Essen zubereitet. Es roch schon ganz gut, nur aus dem einen Topf stieg jede Menge heißer Dampf auf. Gewöhnlich öffneten die Menschen dann das Küchenfenster, damit frische Luft hereinkommt. Das liebe ich immer sehr. Auf dem Luftstrom lasse ich mich durch das ganze Zimmer tragen. Das ist ein Spaß, kann ich euch sagen. Aber dieses Mal war es anders. Vielleicht war es ihnen zu windig, ihr Menschen seid da ja wirklich manchmal sehr empfindlich. Jedenfalls drückten sie auf einen Knopf über dem Herd, und mit lautem Getöse sprang dieses Ding an. Die Menschen nennen es Dunstabzugshaube, so, als wenn das etwas ganz Harmloses wäre. Das ist es aber nicht! Dieses Ding saugt ja nicht nur den heißen Dampf an, sondern auch mich!

Ich spürte also, wie der Sog an mir zerrte, immer stärker, und ich wusste, wenn er mich erwischt, ist es aus mit mir. Ich versuchte, mich mit aller Kraft am Schrank festzuhalten, mich irgendwo festzuklammern. Meine Arme wurden immer länger, jedenfalls fühlte es sich so an. Was konnte ich tun? Gab es eine Rettung für mich?

Küchenpollen sind mutig. Küchenpollen sind flink. Küchenpollen haben immer eine Idee.

Diese Sätze sagte ich immer wieder vor mich hin, um mir Mut zu machen.

Und auf einmal war sie da, die rettende Idee. Der Mensch, der gerade so eifrig das Essen kochte, war mir ganz nah. Ich konnte mich nicht an ihm festhalten, denn wenn ich das tue, kitzelt euch das und ihr schlagt nach mir wie nach einer Mücke, und schon bin ich platt. Aber eine Chance gab es doch. Wenn ich ... Ich dachte gar nicht mehr lange nach, ich tat es einfach. So fest ich konnte, stieß ich mich vom Küchenschrank ab, geradewegs auf die Nase des Menschen zu. Ich erwischte, berührte sie knapp – aber es reichte! Er verzog das Gesicht. Nach links, nach rechts, und endlich kam ein gewaltiges Niesen. Genau diesen Luftstrom nutzte ich und entkam dem Sog dieses gefährlichen Dings. Ich ließ mich in eine ruhige Ecke treiben und ruhte mich erst einmal aus. Da war ich gerade noch einmal mit dem Leben davongekommen.

Jetzt glaubt ihr mir wohl, dass eine Küchenpolle ein aufregendes und manchmal sogar gefährliches Leben hat. Aber zum Ausgleich für solche Momente denke ich mir einfach ganz besonderen Schabernack aus. Vielleicht erzähle ich euch später mehr davon. Tschüss – eure Küchenpolle!

Wozu sind Kriege da

In einer netten kleinen Stadt mitten im Ruhrgebiet lebt Mareike. Sie wohnt mit ihren Eltern in einem Fachwerkhaus. Das Haus gehört den Großeltern ihrer Mutter, die auch dort leben. Mareike hat sich riesig gefreut, als sie vor kurzem dort eingezogen sind, denn es gibt da nicht nur einen wunderbar verwilderten Garten, in dem sie so gerne spielt und mit Wonne süße Beeren pflückt, nein, das Wichtigste dabei ist, dass sie jetzt immer mit ihren Urgroßeltern zusammen sein kann. Sie liebt beide sehr. Besonders mit Opa Jo – so nennt sie ihren Urgroßvater Johannes – verbringt sie viel Zeit. Er kann so spannend erzählen, dass ihr mit ihm nie langweilig wird. Besonders gemütlich findet sie die Winterabende, wo es draußen stürmt und der Wind die Fensterläden klappern lässt. Dann zieht der Duft von selbstgebackenen Plätzchen durch das Haus, und Mareike sitzt mit Opa Jo im Wohnzimmer, er in seinem Schaukelstuhl und sie auf einem Hocker dicht daneben. Er erzählt ihr Geschichten aus seiner Kindheit, von ihren Großeltern und ihrer Mutter. An diesen Abenden wird im Kerzenschein ihre ganze Familie lebendig.

An diese Geschichten muss Mareike denken, als sie in der Schule im Geschichtsunterricht sitzt. Sie behandeln gerade das Thema Krieg, den Zweiten Weltkrieg. Um den Kindern die Situation damals verständlicher zu machen, gibt die Lehrerin den Kindern die Hausaufgabe, in der eigenen Familie nachzufragen, wer den Krieg noch miterlebt hat und davon erzählen kann. Sie sagt den Kindern auch, dass sie vorsichtig nachforschen sollen. Ein Schüler fragt dazwischen: »Warum das denn? Warum denn vorsichtig?« Die Lehrerin antwortet ihm: »Viele Menschen haben in dieser Zeit schlimme Dinge erlebt und können nicht darüber sprechen.«

Die Schule ist zu Ende, und die Kinder gehen gespannt nach Hause.

Als Mareike auf die Haustür zuläuft, sieht sie ihre Mutter bei den Stachelbeersträuchern und ruft ihr zu: »Hallo, Mama, ich muss gleich zu Opa Jo und mit ihm Hausaugaben machen!« Schon ist sie im Haus verschwunden. Die Mutter schaut ihr lächelnd nach. Sie kennt ihre eifrige Tochter und freut sich über das gute Verhältnis, das diese zu den Urgroßeltern hat.

Mareike stürmt in das Wohnzimmer der Urgroßeltern, wo ihr Opa Jo wie erwartet in seinem bequemen alten Sessel sitzt und Zeitung liest. Als die Urenkelin hereingelaufen kommt, legt er die Zeitung beiseite und schaut Mareike über die Brillengläser hinweg an.

»Na, Kind, wo brennts denn?«, fragt er sie schmunzelnd. »Opa Jo, du hast Hausaufgaben auf!«, erzählt Mareike ihm aufgeregt. Sie berichtet, was die Lehrerin gesagt hat, und fragt: »Du kannst mir dabei doch helfen?« »Natürlich, Kind, ich helfe dir gerne. Mach es dir bequem, dann will ich dir etwas aus dieser Zeit erzählen.«

Mareike kuschelt sich in eine Sofaecke und deckt sich mit ihrer Lieblingsdecke zu. Lauter bunte Blumen leuchten da; die Oma hat die Decke selbst gehäkelt. »Du musst aber wissen«, beginnt der Opa, »dass das keine schöne Geschichte wird diesmal. Es ist eine Geschichte voll Kummer und Leid.«

Mareike schluckt und nickt dem Opa dann zu. Dieser fängt an zu erzählen: »Wie du vielleicht weißt, begann der Krieg 1939. Aber schon die Zeit davor war eine schlimme Zeit. Es begann ganz langsam, fast unmerklich, dass über die Juden schlecht geredet wurde. Menschen, die deine Freunde waren, nette Nachbarn, spielende Kinder – die alle sollten plötzlich nichts mehr wert sein. Sie wurden auf der Straße angegriffen, und dann kam das Allerschlimmste: So viele von ihnen sind getötet worden, Männer, Frauen, Kinder …« Mareike saß stumm auf dem Sofa. Dicke Tränen liefen ihr übers Gesicht.

»Es war eine so furchtbare Zeit. Zuerst haben wir geglaubt, dass das doch bald einmal wieder aufhören muss, aber es wurde immer schlimmer. Wir hatten gute Freunde, eine junge jüdische Familie mit einem Baby. Wir wohnten in einer großen Wohnung, da fiel es nicht auf, dass wir sie in einem kleinen Hinterzimmer versteckt haben. Wir hatten oft große Angst, dass das Baby gerade dann schreit, wenn die Häuser nach Juden durchsucht wurden. Auch wenn wir in den Keller mussten, weil wieder die Flugzeuge kamen und Bomben abgeworfen haben, haben wir uns schrecklich gefürchtet. So viel Zerstörung, so viele Tote – es war die schrecklichste Zeit meines Lebens.«

Mareike ist zwischenzeitlich auf den Schoß ihres Opas geklettert. Jetzt nimmt sie ihn in den Arm und drückt sich ganz fest an ihn. »Du lieber armer Opa Jo, gut, dass diese schlimme Zeit lange vorbei ist«, flüstert sie in sein Ohr. »Aber kannst du mir etwas erklären? Wieso tun Menschen so etwas entsetzlich Gemeines?«

Der Opa macht ein nachdenkliches Gesicht. »Weißt du, Mareike, manche Dinge haben sich bis heute nicht geändert. Es werden immer noch Menschen verfolgt, die anders sind. Und es gibt viele, die immer noch wegsehen, die nicht den Mut haben, Stopp zu sagen, die sich gegen Unrecht nicht wehren. Deshalb gibt es immer noch Kriege auf der Welt. Weil Menschen schwach sind und Macht brauchen, damit sie jemand sieht, ihnen zuhört. Aber es gibt auch andere. Das sind die, die sich Gedanken machen, die anderen helfen. Die erkennen, dass alle Menschen glücklich sind, die für den Frieden kämpfen, weil sie verstanden haben, dass keiner einen Krieg gewinnen kann. Denn wie kann man sich als Sieger fühlen, wenn so viele Menschen sterben müssen?« Er streicht Mareike sanft über das Haar. »Ich wünsche dir, dass dein Leben immer glücklich und friedlich ist, mein Kind.« »Danke, Opa Jo«, antwortet Mareike ihm, »denn wenn es nie mehr Kriege geben würde auf der Welt, dann wäre das Leben so schön wie im Märchen.«